春联挥毫必备

褚遂良楷书集字春联

张杏明 编

春風萬里山山綠

旭日一輪處處紅

上海书画出版社

《春联挥毫必备》编委会

主编

王立翔

副主编

程峰

编委（按姓氏笔画排序）

王立翔　王剑　吴志国　吴金花

沈浩　沈菊　张杏明　张恒烟

张忠　郑振华　程峰　雍琦

出版说明

『爆竹声中一岁除，春风送暖入屠苏。千门万户曈曈日，总把新桃换旧符。』王安石的《元日》诗描绘了一幅宋代的春节风俗图：燃爆竹、饮屠苏酒、换桃符。然而，早在一千年前的五代后蜀孟昶那里，桃符已以一副书为『新年纳余庆，嘉节号长春』的春联悄悄改变了形式与内涵：鲜艳的红纸取代了长方形桃木板，吉祥的联语取代了『神荼』、『郁垒』的名字或画像，其寓意也由原来的驱邪避灾转向了求安祈福。春节是我国农历年中第一个也是最重要的传统节日，春联在辞旧岁迎新春的同时，也渗进了农业社会人们朴素的生活理想：国泰民安、人寿年丰、家庭和睦、事业顺利。春联对仗的联语不仅是文字的精妙组合与书法的多样呈现，更是人们美好生活祈向的承载。这些生活祈向，虽然穿越古今，却经久不衰，回荡在一代代人的内心深处。作为这些生活祈向的载体，作为从古代派往现代的使者，春联的命运也同样历久弥新。无论大江南北、农村城市，抑或雅俗贵贱、穷达贫富，在喜气盈门的春节里，都不能没有春联的表达与塑造！

我社出版的『春联挥毫必备』系列，集名家名帖之字，成行气贯通之联。一家一帖集成一书，其内容又以类相从编排，不仅从形式到内容上有力地保证了全书的一致性与连贯性，更便于读者有针对性地、分门别类地欣赏、临摹、创作之用。可以说，一编握手中，一切纳眼底，从书法的字体书体，到文字的各种情感表达，及隐藏其后的对生活的深刻理解与美好祈向，都能在本书中找到满意的答案。

上海书画出版社

目录

雲霞開錦綉

草木弄新姿

上联 一 云霞开锦绣
下联 一 草木弄新姿

萬里春光暖

九州氣象新

上联—万里春光暖
下联—九州气象新

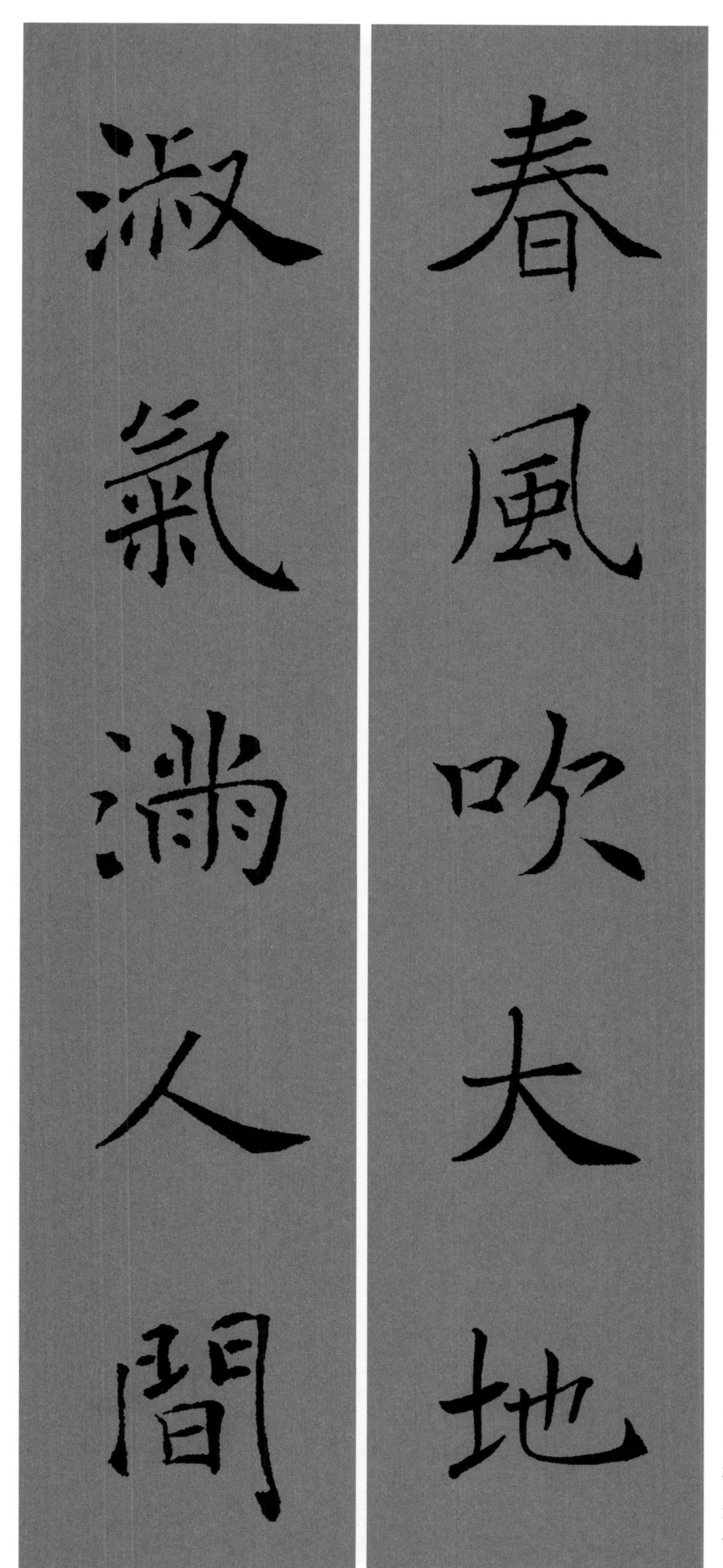

上联 — 春风吹大地
下联 — 淑气满人间

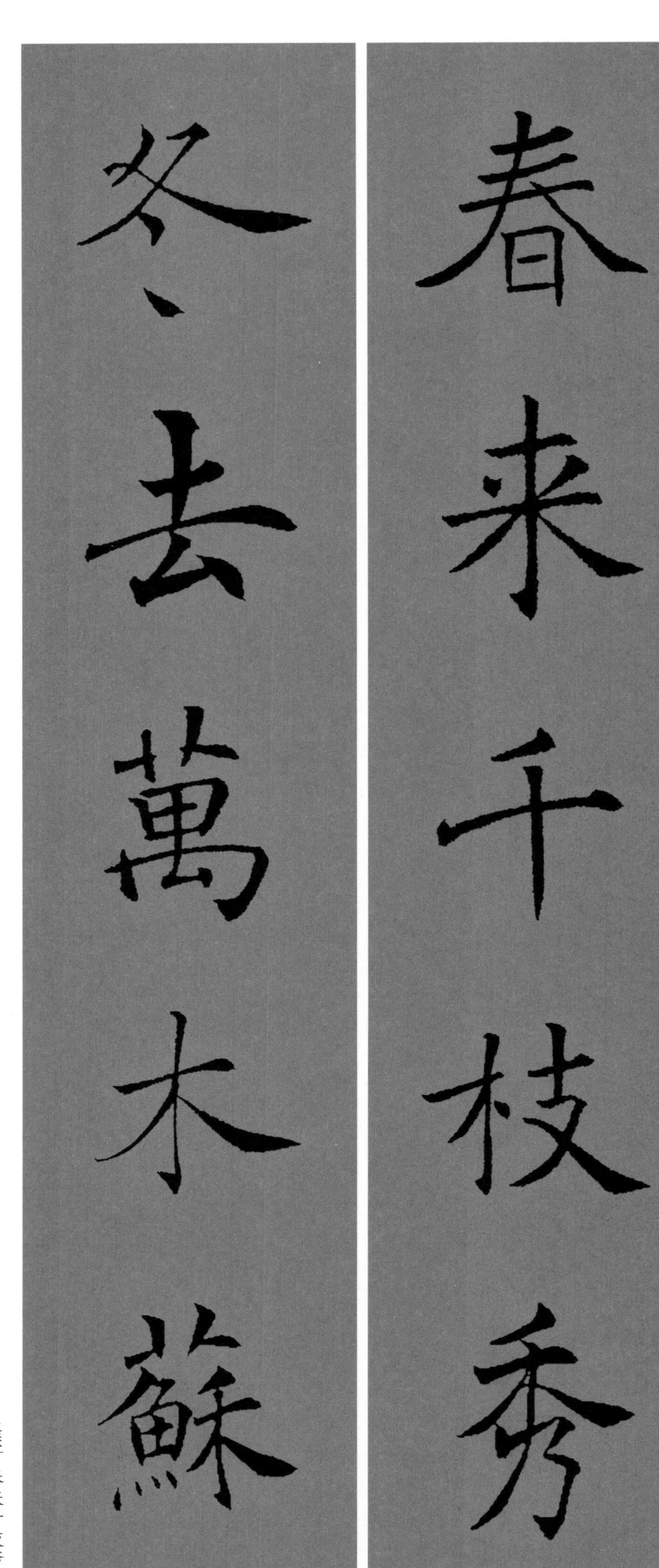

上联—春来千枝秀
下联—冬去万木苏

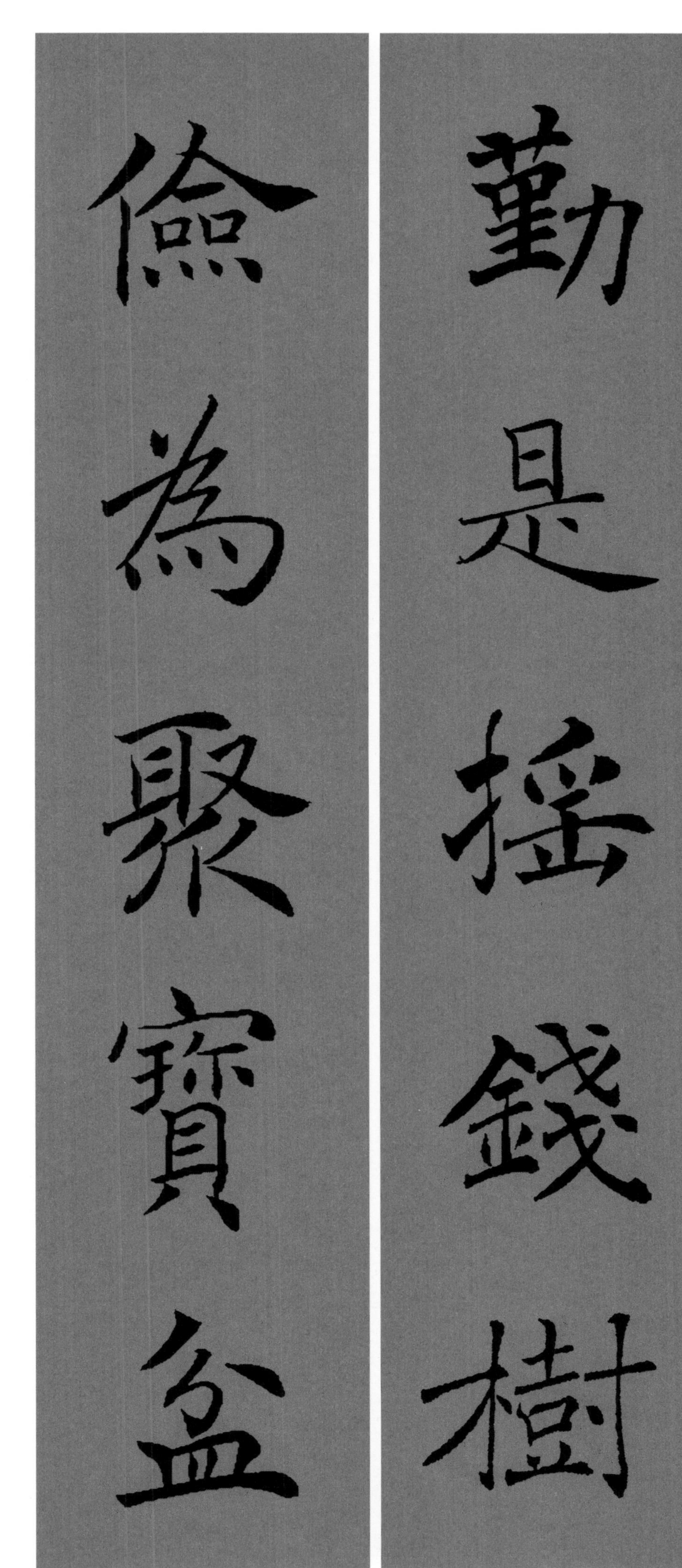

上联 勤是摇钱树
下联 俭为聚宝盆

長空盈瑞氣

大地遍春光

上联—长空盈瑞气
下联—大地遍春光

上联—轻烟芳草地
下联—微雨杏花村

冬去山明水秀

春来鳥語花香

上联　冬去山明水秀
下联　春来鸟语花香

紅梅錚骨傲雪

桃李笑言迎春

上联 一 红梅铮骨傲雪
下联 一 桃李笑言迎春

風展紅旗似畫

春来綠水如藍

上联—风展红旗似画
下联—春来绿水如蓝

春自寒梅唤起

香從乳燕銜来

上联 春自寒梅唤起
下联 香从乳燕衔来

桃符窗花瑞雪

柳浪布穀春風

上联：桃符窗花瑞雪
下联：柳浪布谷春风

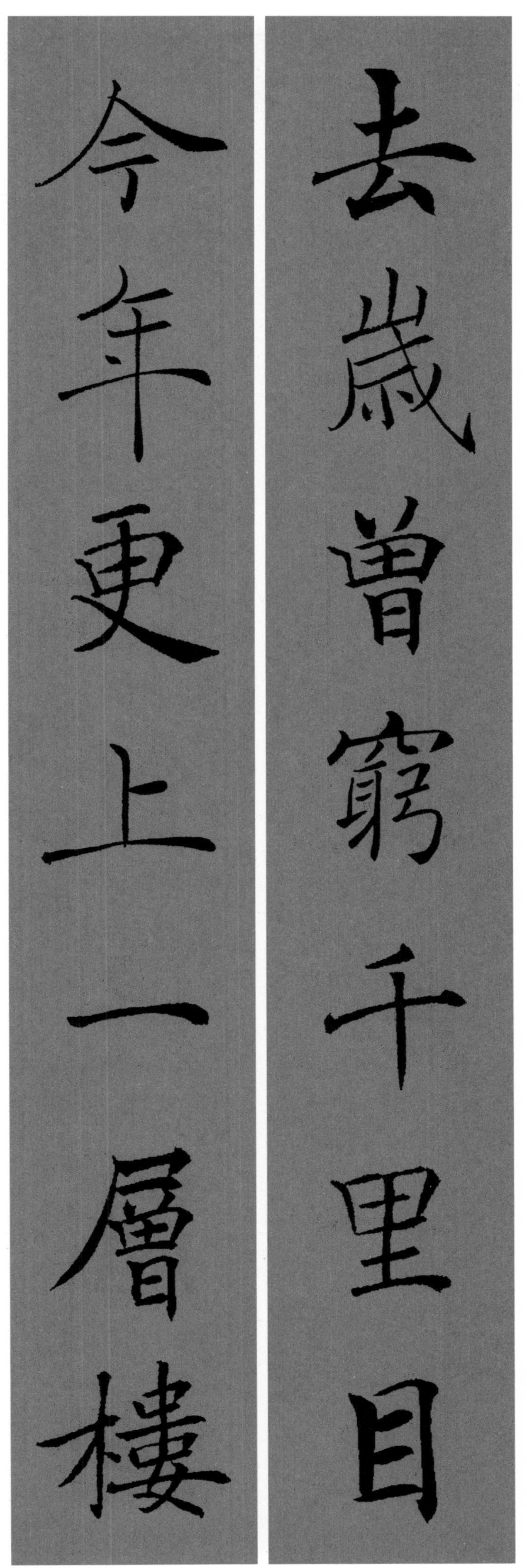

上联 去岁曾穷千里目
下联 今年更上一层楼

新春共飲團圓酒

海峽同浇統一花

上联─新春共饮团圆酒
下联─海峡同浇统一花

春風萬里山山緑

旭日一輪處處紅

上联 一 春风万里山山绿
下联 一 旭日一轮处处红

一枝紅杏霑春雨

兩貼春聯噴墨香

上联一枝红杏沾春雨
下联两贴春联喷墨香

雪裏梅花霜裏菊

爐中寶劍火中鋼

上联 一 雪里梅花霜里菊
下联 一 炉中宝剑火中钢

賀歲紅聯增喜氣

迎春白李報春和

上联 贺岁红联增喜气
下联 迎春白李报春和

萬紫千紅百花爭艷

五湖四海一體同春

上联 一 万紫千红百花争艳
下联 一 五湖四海一体同春

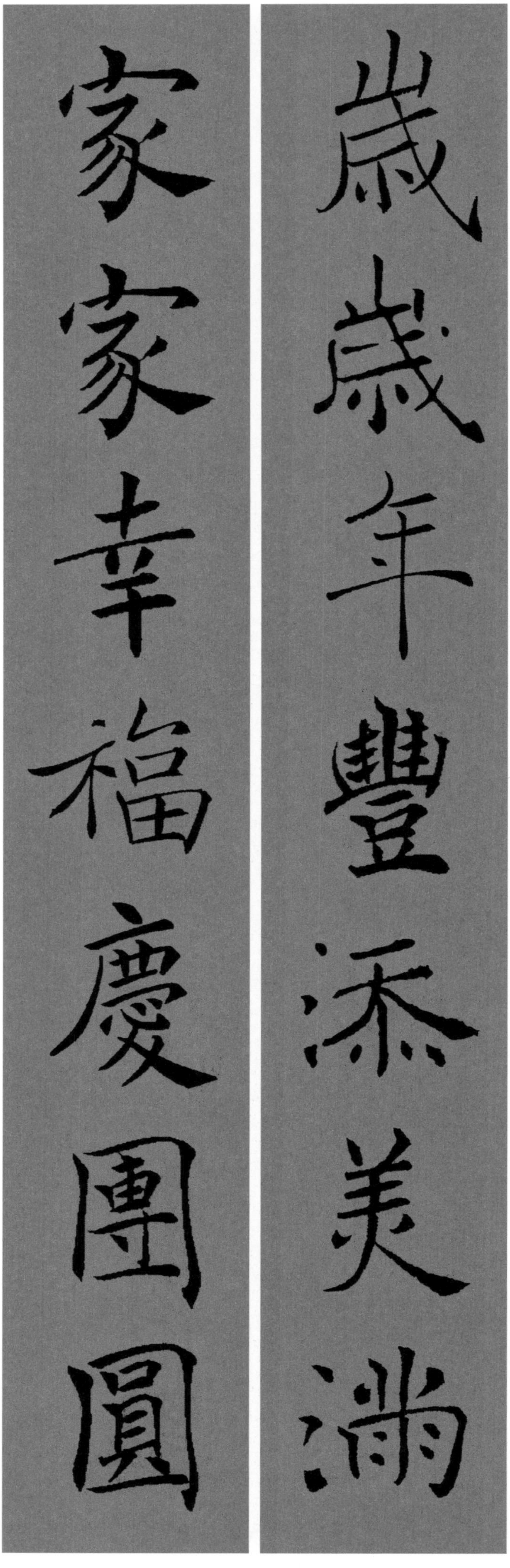

歲歲年豐添美滿

家家幸福慶團圓

上联—岁岁年丰添美满
下联—家家幸福庆团圆

果熟糧豐呈富歲

花紅柳綠飾新樓

上联 — 果熟粮丰呈富岁

下联 — 花红柳绿饰新楼

改革年頭春早到

豐收田野景常新

上联—改革年头春早到

下联—丰收田野景常新

萬紫千紅百花齊放

三江四海五穀豐登

上联一万紫千红百花齐放

下联一三江四海五谷丰登

花香鳥語人勤春早

風和景明民樂年豐

上联—花香鸟语人勤春早
下联—风和景明民乐年丰

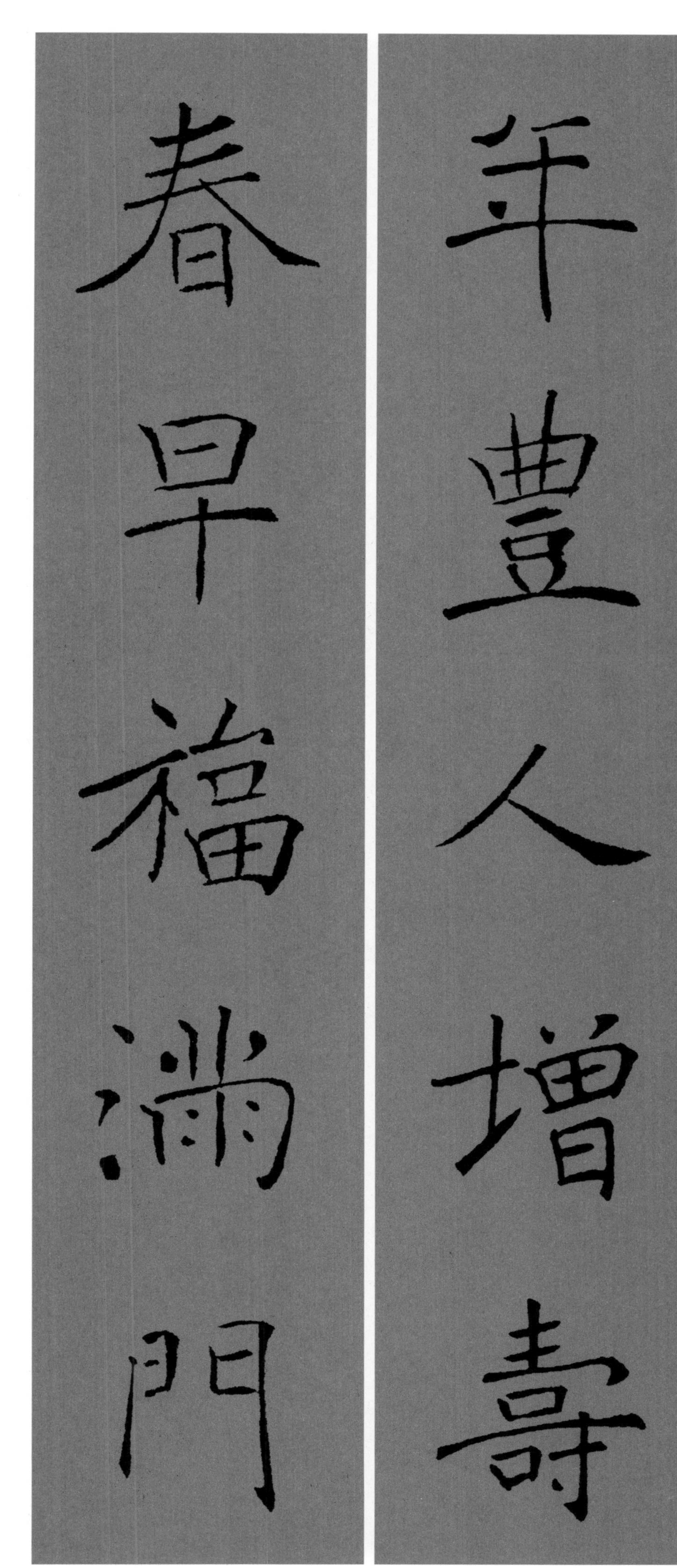

上联—年丰人增寿
下联—春早福满门

百福盡隨新節至

千祥俱向早春来

上联　百福尽随新节至
下联　千祥俱向早春来

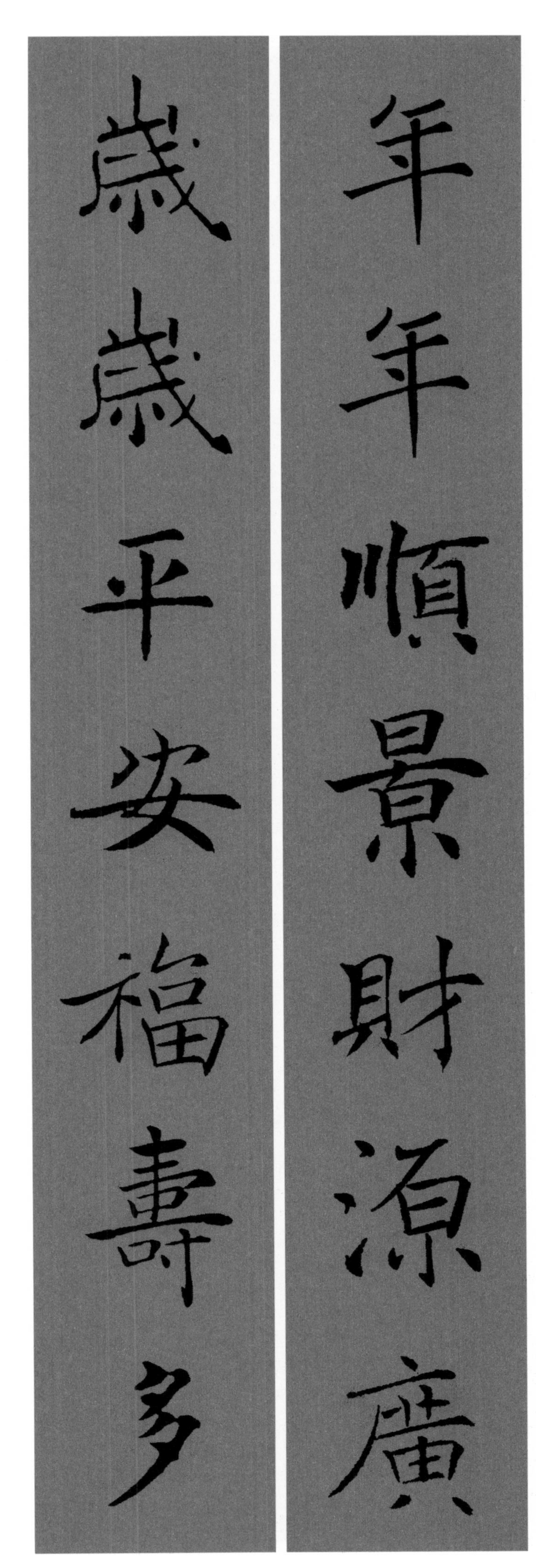

上联 一 年年顺景财源广
下联 一 岁岁平安福寿多

門迎春夏秋冬福

戶納東南西北財

上联—门迎春夏秋冬福
下联—户纳东南西北财

上联—春在江山里
下联—人居画图中

花木四時秀

門庭滿目春

上联｜花木四时秀
下联｜门庭满目春

青山多畫意

春雨潤詩情

上联：青山多画意
下联：春雨润诗情

明月當空花潤色

春風入戶鳥知音

上联—明月当空花润色
下联—春风入户鸟知音

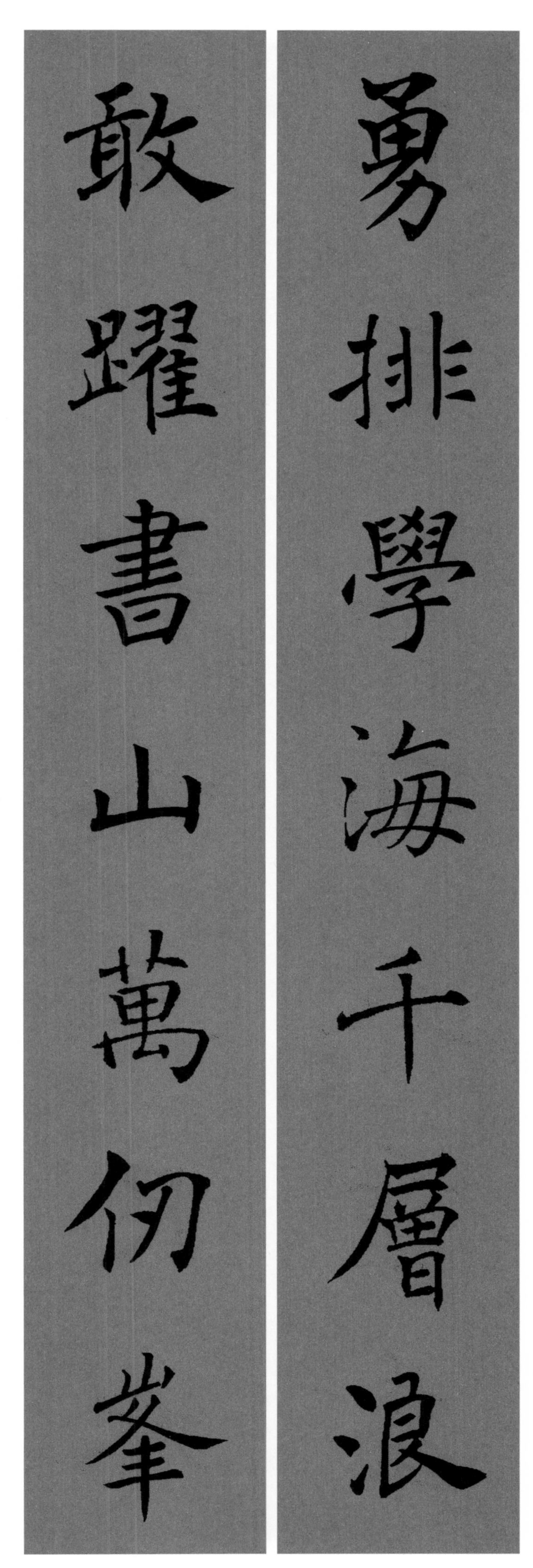

上联—勇排学海千层浪
下联—敢跃书山万仞峰

洗硯新添三尺水

藏書又布五重峯

上联 洗砚新添三尺水
下联 藏书又布五重峰

珍藏今古書香久

獨愛竹梅品格高

上联—珍藏今古书香久

下联—独爱竹梅品格高

胸藏萬彙憑吞吐

筆有千鈞任翕張

上联一胸藏万汇凭吞吐
下联一笔有千钧任翕张

胸羅文史盡人見

腹有詩書曠世珍

上联 胸罗文史尽人见

下联 腹有诗书旷世珍

讀書心細絲抽繭

煉句功深石補天

上联—读书心细丝抽茧
下联—炼句功深石补天

愛看春山疑讀畫

靜研古墨試聽香

上联—爱看春山疑读画

下联—静研古墨试听香

筆花墨寶聚一榻

警句名篇閱萬年

上联　笔花墨宝聚一榻
下联　警句名篇阅万年

筆舞行雲書赤壁

池研潑墨寫黃山

上联 笔舞行云书赤壁
下联 池研泼墨写黄山

筆帶風雲春不老

心懷日月韻獨奇

上联 笔带风云春不老

下联 心怀日月韵独奇

座滿春風書帶翠

夜臨光月劍浮青

上联 座满春风书带翠
下联 夜临光月剑浮青

科學春天百花齊放

人間美景四化宏圖

上联一科学春天百花齐放
下联一人间美景四化宏图

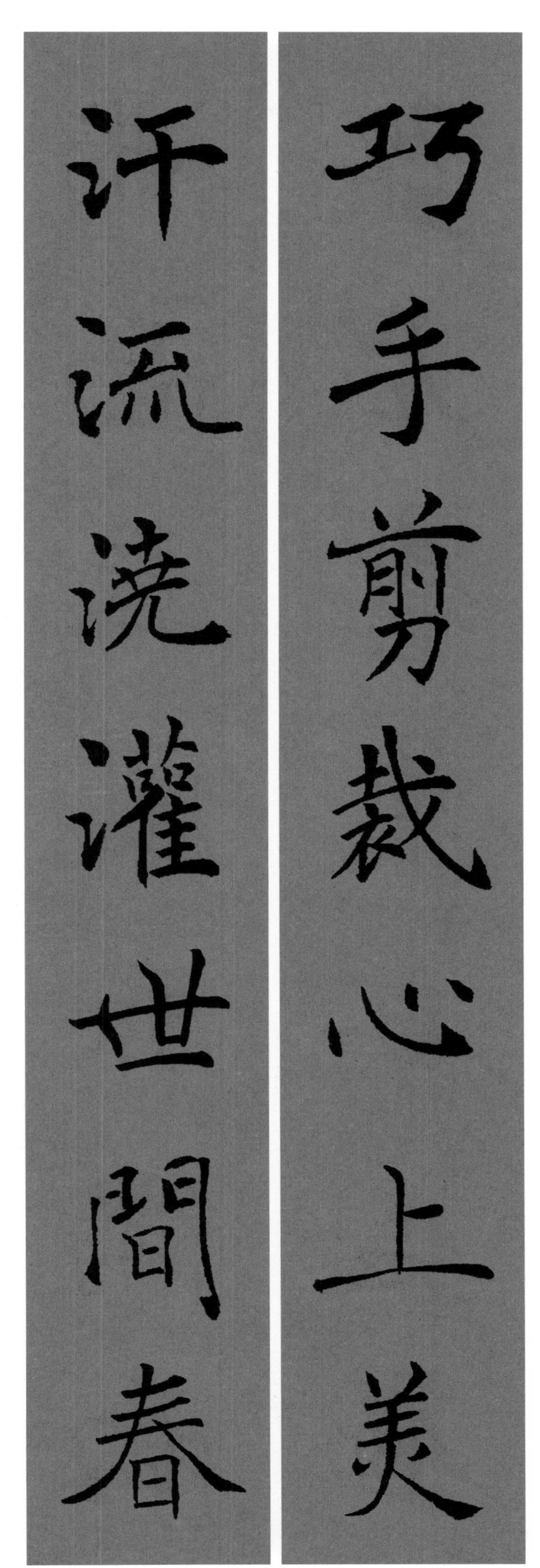

上联——巧手剪裁心上美
下联——汗流浇灌世间春

滿面春風春滿面

盈眉喜氣喜盈眉

上联：满面春风春满面
下联：盈眉喜气喜盈眉

書中尋樂樂無比

畫裏賞花花有香

上联 | 书中寻乐乐无比

下联 | 画里赏花花有香

三鲜六菜香千里

八碗五碟樂萬家

上联：三鲜六菜香千里
下联：八碗五碟乐万家

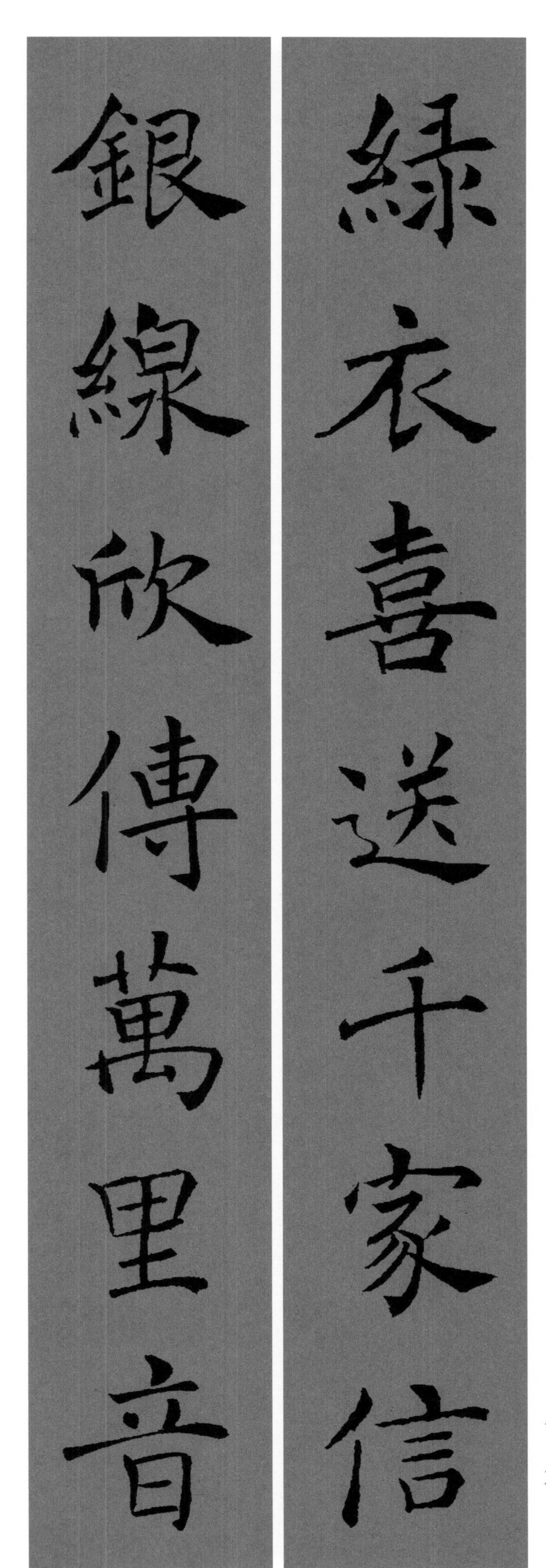

上联 — 绿衣喜送千家信
下联 — 银线欣传万里音

尊師重教興邦路

育李培桃致富門

上联—尊师重教兴邦路
下联—育李培桃致富门

珠寶琳琅騰異彩

銀帛奪目竟奇輝

上联—珠宝琳琅腾异彩
下联—银帛夺目竟奇辉

笑貌長存方寸內

青春永駐霎時間

上联—笑貌长存方寸内
下联—青春永驻霎时间

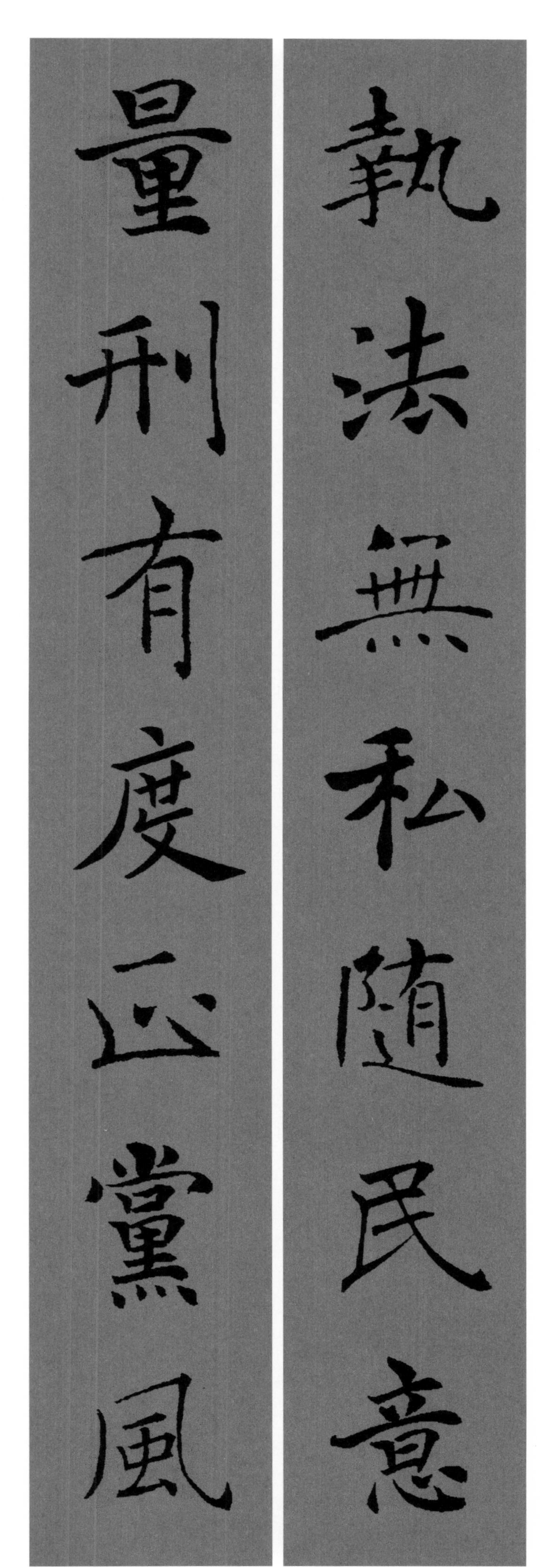

上联 — 执法无私随民意
下联 — 量刑有度正党风

植樹造林聽鳥語

滌汙淨水賞魚遊

上联一 植树造林听鸟语
下联一 涤污净水赏鱼游

黨施厚福心底暖

老度康年夕陽紅

上联—党施厚福心底暖
下联—老度康年夕阳红

江山千古秀

日月一時新

上联一江山千古秀
下联一日月一时新

上联一国安民有福
下联一民富国无忧

祖國山河壮

僑鄉氣象新

上联 祖国山河壮
下联 侨乡气象新

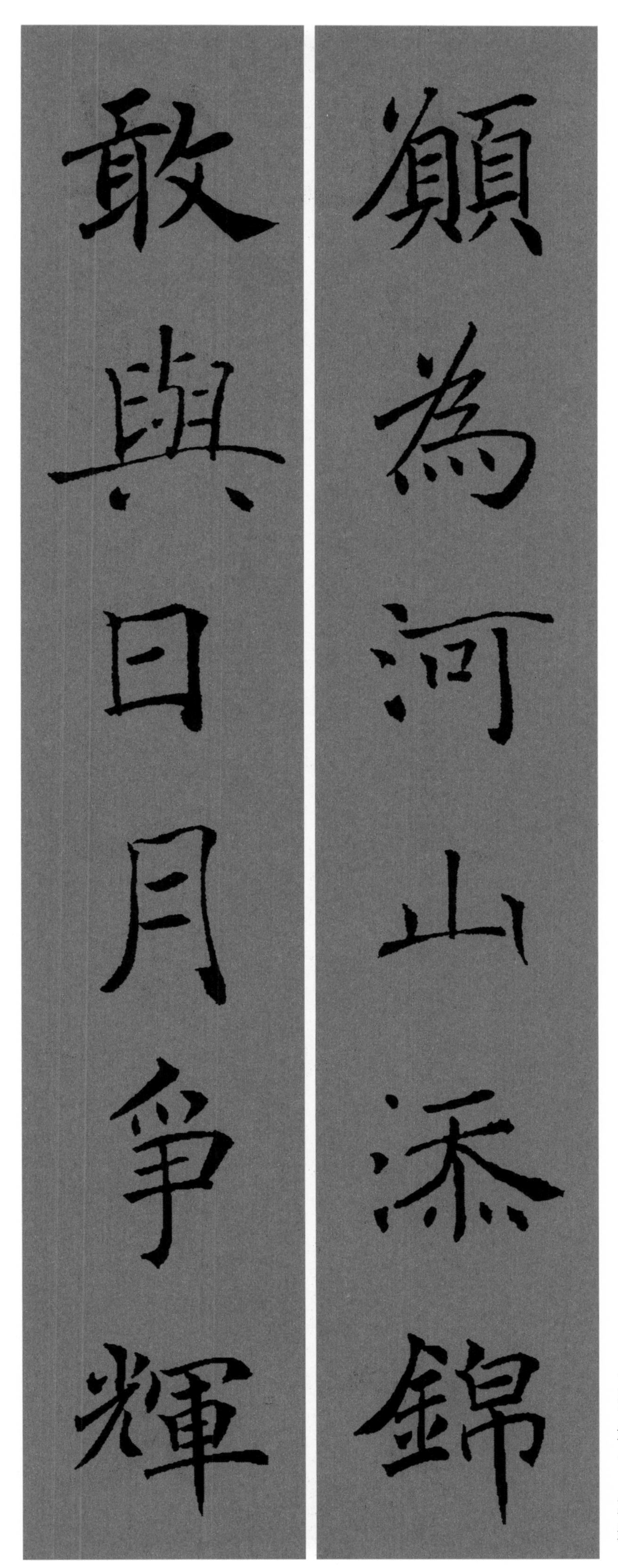

上联—愿为河山添锦
下联—敢与日月争辉

鯤鵬展翅乾坤大

桃李争春天地寬

上联—鲲鹏展翅乾坤大
下联—桃李争春天地宽

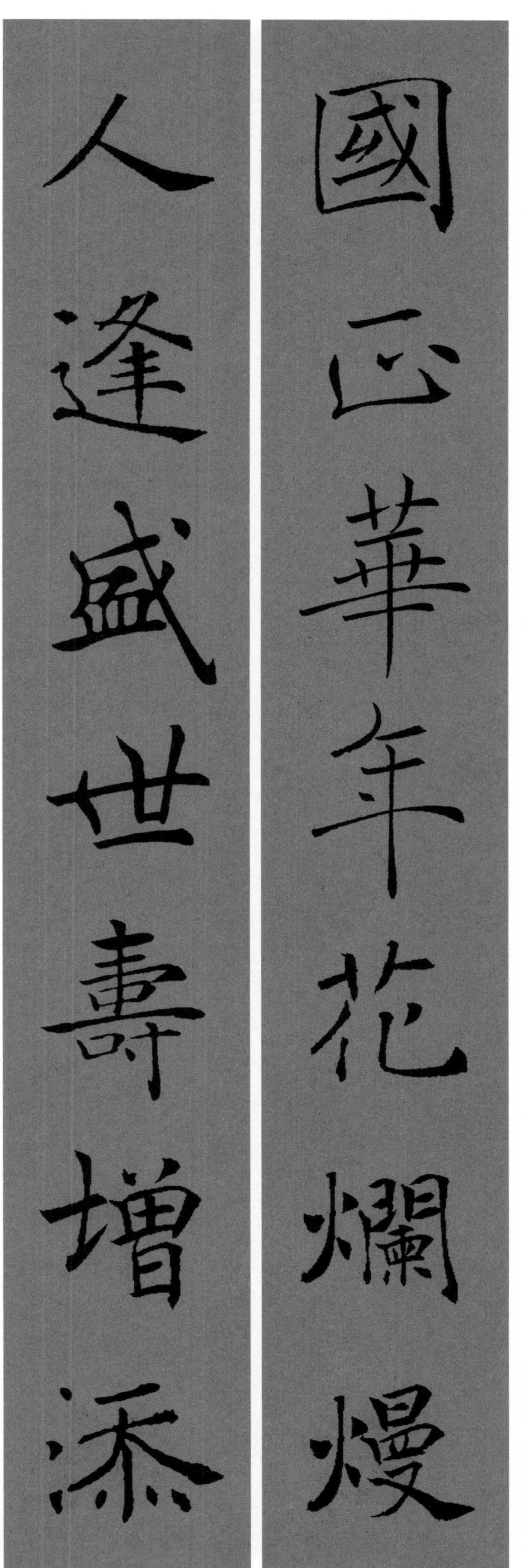

上联：国正华年花烂熳
下联：人逢盛世寿增添

春暖風和花香鳥語

民富國彊人壽年豐

上联—春暖风和花香鸟语
下联—民富国强人寿年丰

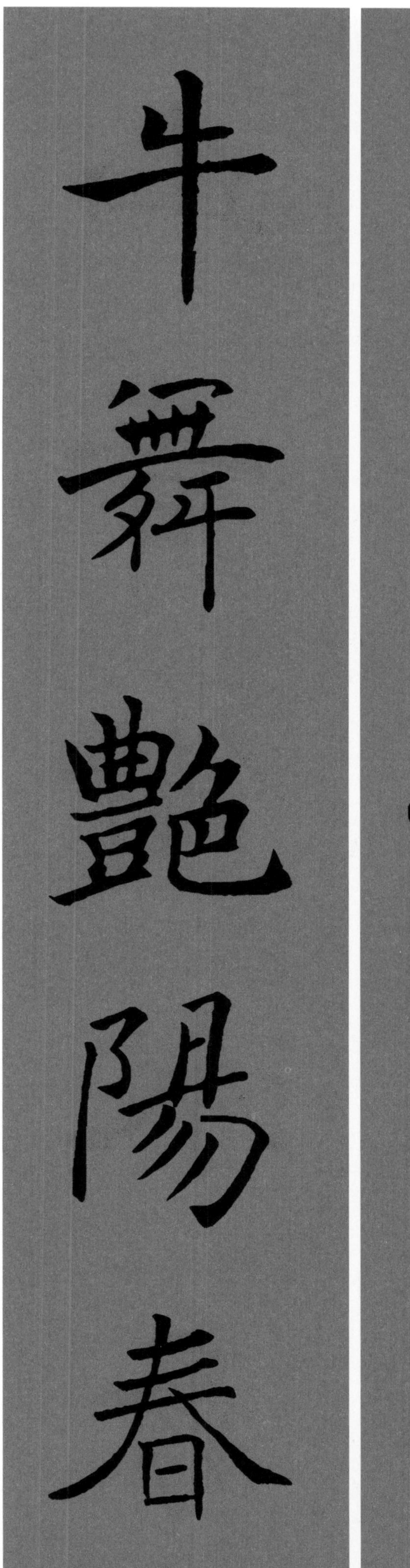

上联——人逢如意事
下联——牛舞艳阳春

山青借水秀

虎嘯伴龍吟

上联—山青借水秀
下联—虎啸伴龙吟

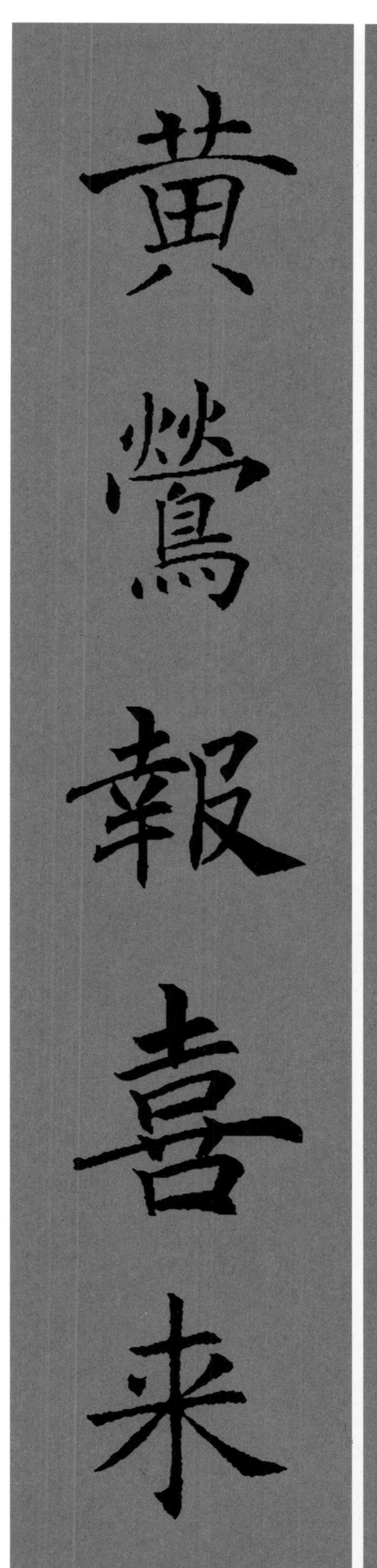

上联—玉兔迎春至
下联—黄莺报喜来

牛主乾坤春浩蕩

人逢喜慶氣昂揚

上联—牛主乾坤春浩荡

下联—人逢喜庆气昂扬

山明水秀風光麗

虎躍龍騰日月新

上联—山明水秀风光丽
下联—虎跃龙腾日月新

山中虎嘯昌新運

月裏兔歡啓宏圖

上联　山中虎啸昌新运
下联　月里兔欢启宏图

雞鳴五穀豐登景

燕舞千家幸福年

上联—鸡鸣五谷丰登景
下联—燕舞千家幸福年

北斗光明春臺起鳳

南溟壯闊羊角搏鵬

上联—北斗光明春台起凤
下联—南溟壮阔羊角搏鹏

碧草白羊三春圖畫

金戈鐵馬萬里征途

上联 — 碧草白羊三春图画
下联 — 金戈铁马万里征途

春和景明

横披｜ 春和景明

春華秋實

横披｜ 春华秋实

福緣善慶

横披｜ 福缘善庆

惠風和暢

横披｜ 惠风和畅

横披｜ 三阳开泰

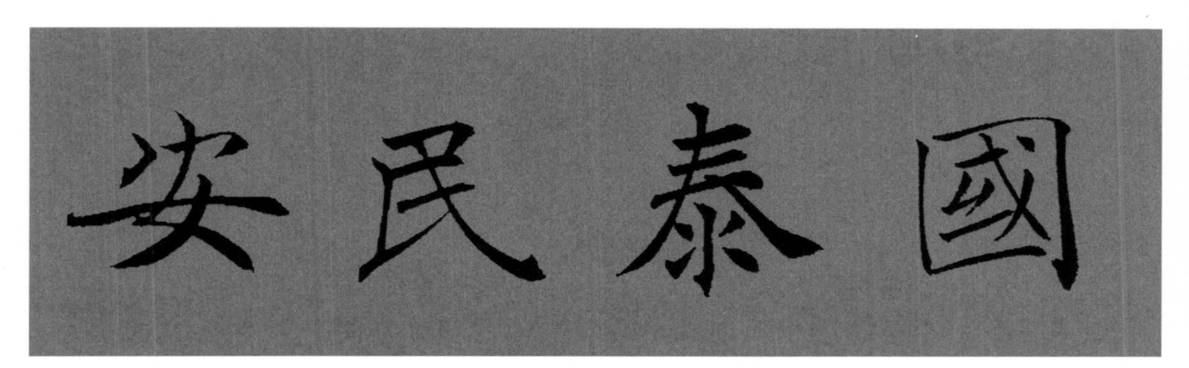

横披｜ 国泰民安

横披｜ 闻鸡起舞

小贴士

通用——万象更新、春迎四海、一元复始、春满人间、万象呈辉、瑞气盈门、万事如意；
丰收——五谷丰登、风调雨顺、时和岁丰、物阜民康、雪兆年丰、春华秋实、吉庆有余；
福寿——福乐长寿、五福齐至、紫气东来、寿山福海、益寿延年、福缘善庆、福寿康宁；
文化——惠风和畅、千祥云集、鸟语花香、日月生辉、瑞气氤氲、正气盈门、江山如画；
行业——百花齐放、业精于勤、业广惟勤、万事如意、千秋大业；
爱国——振兴中华、江山多娇、大好河山、气壮山河、瑞满神州、祖国长春；
生肖——闻鸡起舞、灵猴献瑞、龙腾虎跃、龙兴华夏、万马争春。

图书在版编目(CIP)数据
褚遂良楷书集字春联/张杏明编.--上海:上海书画出版社,2016.12
(春联挥毫必备)
ISBN 978-7-5479-1367-3
Ⅰ.①褚… Ⅱ.①张… Ⅲ.①楷书-法帖-中国-唐代
Ⅳ.①J292.24
中国版本图书馆CIP数据核字(2016)第288072号

褚遂良楷书集字春联
春联挥毫必备

张杏明 编

责任编辑	张恒烟
审　　读	雍　琦
责任校对	郭晓霞
技术编辑	包赛明
出版发行	上海世纪出版集团 上海书画出版社
地址	上海市延安西路593号　200050
网址	www.ewen.co www.shshuhua.com
E-mail	shcpph@163.com
制版	上海文高文化发展有限公司
印刷	浙江海虹彩色印务有限公司
经销	各地新华书店
开本	787×1092　1/12
印张	6.67
版次	2016年12月第1版　2021年3月第6次印刷
印数	16,501-18,800
书号	**ISBN 978-7-5479-1367-3**
定价	**28.00元**

若有印刷、装订质量问题，请与承印厂联系